¡NO TENGO MIEDO!

por Hans Wilhelm

¡Hola, lector! — Nivel 1

SCHOLASTIC INC.

New York   Toronto   London   Auckland   Sydney
Mexico City   New Delhi   Hong Kong   Buenos Aires

¡Es Halloween!
Hay que disfrazarse.

12 11 10 9 8 7 6 5   12 13 14 15 16/0

Printed in the U.S.A.   40

First Spanish printing, October 2004

Estimados familiares de lectores jóvenes:

Aprender a leer es uno de los logros más importantes de la infancia. Es una tarea difícil, pero los libros de la serie *¡Hola, lector!* pueden facilitar el aprendizaje.

Cuando se practica un deporte o se aprende a tocar un instrumento musical, se tiene que participar en juegos, oír música y tocar el instrumento para mantener el interés y la motivación. Cuando se aprende a leer, se tienen que buscar oportunidades para practicar y disfrutar de la lectura. Los libros de *¡Hola, lector!* han sido cuidadosamente elaborados para este fin y ofrecen cuentos entretenidos con niveles de texto adecuados para que la lectura sea un placer.

Les recomendamos estas actividades:

• El aprendizaje de la lectura comienza con el alfabeto. En las primeras etapas, ustedes pueden alentar al niño a concentrarse en los sonidos de las letras dentro de las palabras y a deletrear las palabras. Con los niños que tienen más experiencia, pueden poner más énfasis en la ortografía. ¡Conviértanse en observadores de palabras!

• Vayan más allá del libro. Hablen sobre el cuento, compárenlo con otros cuentos y pregunten al niño qué es lo que más le gustó.

• Comprueben si el niño ha comprendido lo que acaba de leer. Pídanle que les cuente el cuento con sus propias palabras o que conteste las preguntas que ustedes le hagan.

A esta edad, los niños también suelen aprender a montar bicicleta. Al principio ustedes ponen ruedas especiales para entrenarlos y guían la bicicleta desde atrás. De la misma manera, los libros de *¡Hola, lector!* ayudan a los niños a aprender a leer. Pronto los verán levantar el vuelo como hábiles lectores.

—Francie Alexander
Directora Académica
Scholastic Education

¿Qué puedo ser?

A lo mejor podría ser un payaso
chistoso con pies grandes.

¿Debería ser un pirata malo...

o un robot que ladra?

A lo mejor podría ser un gran murciélago negro.

¿Debería ser un lobo feroz...

o un conejito lindo?

¿Quieres que sea una
serpiente marina?

¿Debería ser un mago sabio...

o una calabaza anaranjada?

A lo mejor podría ser una momia.

¡Ya sé! Seré Superperro
y salvaré el mundo.

¡Oh, no! ¿Qué es eso?

¡Oh, no!

Los fantasmas
me dan miedo.

¡Pero estos fantasmas
no son de verdad!

¡Son mis amigos!
¡Vienen a jugar!

¡El año que viene los asustaré yo a ellos!